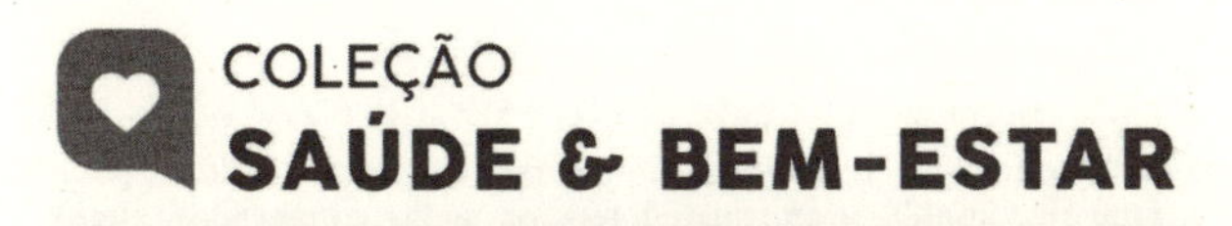

VOLUME 3

ANSIEDADE

Gerencie os sintomas para combatê-la

São Paulo

Diretor editorial: Luis Matos

Gerente editorial: Marcia Batista

Assistentes editoriais: Letícia Nakamura e Raquel F. Abranches

Preparação: Marina Constantino

Revisão técnica: Yone Fonseca

Revisão: Tássia Carvalho

Arte: Valdinei Gomes

Capa: Vitor Martins

Aviso: Este livro contém informações que visam auxiliar o paciente sob tratamento médico e/ou terapêutico. Nenhuma das informações aqui contidas substitui o acompanhamento de um profissional especializado.

Dados Internacionais de Catalogação na Publicação (CIP)
Angélica Ilacqua CRB-8/7057

A627

Ansiedade : gerencie os sintomas para combatê-la / Universo dos livros.
— São Paulo : Universo dos Livros, 2020.

32 p. (Saúde & bem-estar ; vol. 3)

Bibliografia

ISBN 978-65-5609-014-6

1. Ansiedade - Obras populares 2. Saúde 3. Estresse 4. Saúde mental 5. Humor (Psicologia)

20-4002 CDD 152.46

Universo dos Livros Editora Ltda.

Avenida Ordem e Progresso, 157 – 8º andar – Conj. 803

CEP 01141-030 – Barra Funda – São Paulo/SP

Telefone/Fax: (11) 3392-3336

www.universodoslivros.com.br

e-mail: editor@universodoslivros.com.br

Siga-nos no Twitter: @univdoslivros

SUMÁRIO

INTRODUÇÃO

Vivemos na era da informação e da correria. Nosso cotidiano é recheado de problemas para resolver, planos para concretizar e – por que não? – também de momentos para aproveitar com quem amamos. Não é fácil acompanhar a velocidade com que as coisas mudam.

Em meio a esse caos, nossa saúde – tanto física como mental – sofre. E um dos males que nos atinge atualmente é a ansiedade. Originada pelos instintos de sobrevivência de quando ainda estávamos no início da humanidade, a ansiedade "evoluiu" para se tornar uma condição até certo ponto normal. No entanto, quando ela atinge um patamar crônico, pode se tornar porta de entrada para diversos outros males.

A ansiedade se manifesta por meio de muitos sintomas e causa diversos problemas. Provoca medo do futuro, de lugares fechados e de falar em público, por exemplo. No entanto, podemos nos tornar mais fortes no sentido de combater tais situações – desde que saibamos o que fazer.

Ansiedade: gerencie os sintomas para combatê-la é um guia sobre as principais questões que envolvem a ansiedade. Aqui, você verá o que é essa condição, como ela afeta o corpo e a mente, suas possíveis causas, alguns dos transtornos decorrentes dela, seus sintomas e também como buscar ajuda – sempre profissional. Claro, você também encontrará dicas sobre como lidar com a ansiedade no dia a dia por meio da alimentação, de frases e até mesmo de aplicativos para celulares, que são recursos úteis para muitos daqueles que sofrem desse mal da vida moderna.

Está ansioso (de uma forma positiva) para saber como lidar com a ansiedade? Então não perca mais tempo e avance na leitura!

O QUE É

A ansiedade é uma reação do corpo ao estresse, uma resposta natural na forma de reflexo do sistema nervoso. No passado, no processo evolutivo da espécie humana, o medo exerceu a função de preparar o corpo para fugir ou lutar, mediante a liberação de adrenalina. Uma vez que a adrenalina esteja presente no sangue, ocorre a aceleração dos batimentos cardíacos e a contração dos vasos sanguíneos para uma circulação mais rápida do sangue pelo corpo. Há também a dilatação dos brônquios, visando elevar a taxa de respiração, a dilatação das pupilas e o aumento da glicose no sangue para fornecer energia.

Todas essas reações nos ajudavam a sobreviver na natureza. Na atualidade, a ansiedade ainda nos prepara para condições adversas, mas em um grau diferente, manifestando-se, por exemplo, quando enfrentamos situações de exposição, como falar em público, ou quando estamos à véspera de um acontecimento importante, como uma prova.

A ansiedade é um estado emocional que contém tensão e preocupação, e age de maneira similar àquilo que sentimos quando estamos com medo, diferenciando-se porém do seguinte modo: enquanto o medo é uma resposta emocional do corpo a uma ameaça percebida ou iminente, a ansiedade funciona como uma espécie de antecipação a uma ameaça futura.

Como já explicamos, é uma condição normal do corpo humano, herdada de nossos antepassados. Entretanto, quando se manifesta com maior intensidade, torna-se um problema que afeta diretamente a saúde física e mental.

Ao ocorrer com frequência, intensidade e duração fora do habitual, a ansiedade se torna uma patologia, interfere no cotidiano, causa recorrência de pensamentos negativos e abre espaço para outras complicações, como distúrbios cardiovasculares, obesidade, diabetes, aumento de pressão arterial, entre outros.

COMO OCORRE EM NOSSO CORPO

O sistema límbico é a parte do cérebro responsável por iniciar uma reação química que informa o corpo sobre o perigo. Dado que a ansiedade é um estímulo fisiológico para enfrentar uma adversidade, ela funciona como alerta para a saída de uma situação de risco, envolvendo nesse processo sentimentos de medo e/ou apreensão.

O sistema límbico compreende diversas estruturas, dentre as quais o hipocampo, a amígdala e o hipotálamo. O hipocampo é o responsável pela memória e pela ativação de lembranças. Assim, ficamos alertas sobre ações ou situações do passado, de modo a estarmos preparados para elas. A amígdala, por sua vez, é responsável por regular emoções e detectar ameaças, e o hipotálamo controla o sistema nervoso autônomo (SNA) e mensageiros químicos, como hormônios e neurotransmissores. O conjunto do sistema límbico, então, nos prepara para as respostas às adversidades.

No entanto, para além das estruturas corporais, a explicação da ativação da ansiedade precisa incluir um fator essencial: o gatilho, que é uma ação, pensamento, lembrança, objeto ou outro tipo de elemento externo que serve como desencadeador das sensações de ansiedade e/ou de consequências dela.

COMO SABER QUANDO A ANSIEDADE É UM PROBLEMA

Para começar, lembramos que a ansiedade, em si, é uma resposta natural do corpo. O problema surge quando sua influência causa sofrimento e interfere significativamente na sua vida de maneira negativa, estando associado a outras questões, como, por exemplo:

- Depressão, alcoolismo ou dependência química;
- Medo excessivo de lugares cheios ou fechados;
- Humor explosivo;
- Pensamentos ou comportamentos que tendem ao suicídio;
- Preocupação excessiva com contratempos corriqueiros.

A seguir, abordaremos causas possíveis para a ansiedade, os sintomas mais comuns e como procurar ajuda médica para conviver melhor com essa condição.

CAUSAS

Quais são as causas da ansiedade? Não há consenso dentro da comunidade científica quanto à origem da ansiedade crônica, persistente ao longo do tempo e uma condição que afeta a qualidade de várias áreas da vida. No entanto, há algumas hipóteses apontadas como desencadeadoras dela (que não são mutuamente excludentes):

- Predisposição genética – O corpo produz substâncias que facilitam a ação da ansiedade no organismo.
- Fatores externos – Ocorre quando um ambiente ou situação externa possui elementos que suscitam ansiedade. O trabalho, as ruas e a convivência com a família ou amigos são exemplos de fatores externos. Uma família sob dificuldades financeiras ou um ambiente de trabalho estressante (como bancos e hospitais) podem gerar ansiedade.
- Herança familiar – É semelhante à predisposição genética, mas, neste caso, membros de uma mesma família (pertencentes a mais de uma geração) também sofrem com a ansiedade, apontando a tendência.
- Influências socioculturais – De cunho mais individual, englobam o conjunto de crenças, valores e representações sociais de cada um. São provocadas por períodos ou ocasiões marcantes e que, por algum motivo, ficaram gravados na memória (geralmente de modo negativo) e que se tornam um gatilho.

PROBLEMAS DESENCADEADOS

A presença da ansiedade crônica em nosso cotidiano afeta diretamente o desempenho no trabalho, os relacionamentos com familiares, amigos e/ou parceiros amorosos e também a saúde. Atrapalha a maneira como interagimos e nos relacionamos com outras pessoas e a forma como demonstramos emoções. A preocupação e a recorrência de pensamentos negativos causam conflitos. Quando a ansiedade está fora de controle, mesmo situações e tarefas comuns podem se tornar um enorme problema.

A ação da ansiedade causa sobrecarga emocional, exaustão e estresse. Além disso, pode provocar o isolamento e a desconexão com a realidade. O ansioso crônico pode evitar a construção de relacionamentos ou a realização de ações em público, pois tem medo da humilhação e da vergonha, consequências que com frequência dá como certas.

A insônia é outro fator constantemente desencadeado, causando problemas de atenção, concentração e memória, habilidades muito importantes para os estudos e o aprendizado. Também pode se manifestar como dificuldade para manter o sono ou acordar muito cedo sem se sentir descansado.

Na vida profissional, a ansiedade afeta o cumprimento de prazos, gera inconveniências em reuniões, apresentações e em atividades de gerenciamento de outras pessoas.

No campo da alimentação, a ansiedade pode causar distúrbios no apetite, como o aumento ou a redução de ingestão de comida. Pode se manifestar por meio da ingestão demasiada de alimentos calóricos, que aumentam o peso, ou também na forma de excesso de práticas de exercícios, desencadeada pelo medo de engordar.

A vida sexual também pode ser bastante afetada, com problemas como disfunção erétil, perda de libido, impotência sexual ou ejaculação precoce.

A depressão pode estar diretamente ligada à influência da ansiedade. Períodos longos de depressão podem levar à compulsão por comidas como chocolates (que favorecem a produção de serotonina) ou à dependência de drogas lícitas e ilícitas (bebidas alcoólicas, tabaco, maconha, cocaína, remédios, entre outras), as quais podem até suavizar sintomas em um primeiro momento, mas estão sujeitas a gerar dependência física e/ou psicológica e, consequentemente, a necessidade de doses cada vez maiores com o tempo.

SINTOMAS DA ANSIEDADE

A ansiedade apresenta reações fisiológicas semelhantes às do medo, que, como vimos, é importante para a sobrevivência e para a adaptação ao ambiente. No entanto, quando desproporcional, ou crônica, não é algo saudável.

Quais são os principais sintomas de quem sente ansiedade em excesso? É comum, por exemplo, imaginar perigo em tudo, superestimando o risco de situações que temem ou evitam: deixar de viajar em determinado meio de transporte, como aviões ou navios, por causa de medo de acidentes; temer determinado exame ou procedimento médico por medo de consequências ou efeitos colaterais.

Veja a seguir alguns sintomas recorrentes em pessoas com ansiedade crônica:

- Apetite instável – A alimentação é afetada de maneira negativa e passa a ser focada em determinados alimentos, como doces. Mastigar pouco e ingerir muita comida em pouco tempo, de maneira rápida, também é um sintoma, assim como comer muito mesmo sem ter fome.
- Problemas de digestão – Uma vez que a ansiedade influencia nossa maneira de comer, o aparelho digestivo também pode ser prejudicado nesse processo. A longo prazo e como efeito colateral, a ansiedade pode desregular o funcionamento dos órgãos que compõem o sistema gastrointestinal, uma vez que este é afetado pela sobrecarga do sistema nervoso.
- Perfeccionismo – É comum que a pessoa ansiosa crônica busque sempre um alto padrão de qualidade, por vezes

inalcançável. A ansiedade surge ao não atingir o nível desejado. Trata-se de um comportamento desgastante, que gera insatisfação. O medo de errar leva à autossabotagem e faz mal em diversas áreas da vida, como a convivência familiar e o desempenho no trabalho.

- Problemas do sono – A assiduidade de pensamentos negativos, um dos principais sintomas da ansiedade, afeta diretamente o sono. Assim, a ansiedade com frequência provoca dificuldade para dormir e, em última instância, insônia, já que se torna comum ficar remoendo determinada situação passada ou se preocupando com algo que está por vir.
- Medo de falar em público – Um sintoma bastante frequente entre ansiosos crônicos. A dificuldade de se expressar surge do medo do julgamento alheio. Apresentações em público, exposição social ou profissional e conhecer pessoas novas, seja no âmbito amoroso ou não, são desafios que o ansioso crônico pode querer evitar a qualquer custo.
- Outros medos em geral – Como já explicamos no início deste capítulo, o medo está intimamente associado à ansiedade. A pessoa acometida por essa condição apresenta receio excessivo de perder algo, de não estar à altura de determinada tarefa, objetivo ou situação, ou mesmo de não ser aceito e ficar sozinho. É uma consequência direta causada pela insegurança resultante da ansiedade.
- Pensamentos obsessivos – A perda de controle sobre determinados pensamentos ou imagens visualizadas mentalmente criam um tipo de angústia. Esse processo repetitivo do cérebro redireciona para esses pensamentos a atenção que seria empregada em tarefas cotidianas, manifestando-se com frequência e intensidade exacerbadas e,

assim, caracterizando-se como uma espécie de obsessão. Por isso, inquietação e dificuldade em se concentrar também são sintomas da ansiedade.

- Preocupação em excesso – Os pensamentos negativos atacam novamente aqui, já que a pessoa com transtorno de ansiedade apresenta perturbações em sua atenção mental. A preocupação com o futuro ultrapassa os limites do saudável, expressando-se em uma espécie de angústia com o que não está planejado, uma preocupação crônica com eventos do cotidiano. Dinheiro, trabalho, vida amorosa, responsabilidades e desempenho pessoal e profissional são algumas das preocupações mais recorrentes.
- Ataques de nervos – Trata-se de um estado de perda de autocontrole causado pela ansiedade. É uma mudança brusca de comportamento e humor, oriunda dá má gestão do estresse provocada pelo distúrbio, e que pode piorar a convivência interpessoal do dia a dia.
- Incapacidade de relaxar – Correlações possíveis entre os sintomas mencionados acima podem gerar um contexto em que a pessoa não encontre momentos de descanso. Esse encadeamento de fatores cria um círculo vicioso: a ansiedade causa problemas que impedem a obtenção de sossego e, ao mesmo tempo, a falta de relaxamento potencializa a ansiedade, e essas duas situações reforçam uma à outra.

SINTOMAS FÍSICOS DA ANSIEDADE

Para além dos efeitos mentais, a ansiedade também pode se revelar na forma de sintomas físicos. A tensão muscular, por exemplo, provoca dores em determinadas partes do corpo do ansioso crônico, como o pescoço e as costas, e sem motivo aparente. O que ocorre é que a pessoa em questão tende a tensionar o corpo, gerando dor persistente e, a longo prazo, até mesmo problemas de mobilidade.

Já as pessoas ansiosas que passam a comer muito rápido ou em grandes quantidades podem sofrer reveses como mal-estar, azia e diarreia, além de úlcera e refluxo.

Outros sintomas físicos da ansiedade são:

- Boca seca;
- Cansaço persistente;
- Dificuldade para engolir ou engasgos;
- Dor no peito;
- Falta de ar;
- Formigamento;
- Hiperventilação;
- Náuseas;
- Ondas de calor;
- Suor;
- Tensão muscular;
- Tontura.

TIPOS DE TRANSTORNO DE ANSIEDADE

TRANSTORNO DE ANSIEDADE GENERALIZADA

O transtorno de ansiedade generalizada (TAG) é caracterizado por sentimentos de preocupação e medo constantes. Ele provoca pavor e angústia sem motivo ou explicação aparente. É um estado em que a pessoa espera o pior em cada situação que enfrenta no trabalho, com a família, com relação à saúde ou até em circunstâncias mais corriqueiras.

Apesar da consciência de que muitas das preocupações que os acometem não têm fundamentação racional, quem sofre com esse transtorno nem sempre consegue controlar tal comportamento, que é persistente e contínuo. O TAG costuma afetar mais as mulheres.

Em meio às causas conhecidas como desencadeadoras desse transtorno estão: mudanças hormonais, exposição acentuada ao estresse, traumas de infância, preocupação financeira e doenças graves (como câncer). Fatores genéticos e abuso de substâncias também colaboram com o TAG.

SÍNDROME DO PÂNICO

A síndrome do pânico é marcada por ataques de terror e apreensão intensos. É caracterizada por um estado de confusão, tontura, tremores e dificuldade para respirar. Os episódios de crise desse tipo de transtorno de ansiedade causam momentos repentinos de desespero e medo agudos, como o medo de morrer e/ou de perder o controle, mesmo se não houver motivo aparente ou sinal de perigo à vista. Tais episódios são ocasionados por estresse ou medo e podem durar de poucos minutos a algumas horas. Além disso, as pessoas que sofrem desse distúrbio podem desenvolver agorafobia (ver fobias específicas, na sequência), evitando espaços que possam desencadear o transtorno, como locais muito movimentados.

FOBIA SOCIAL

A fobia social é uma condição de pavor em situações sociais em ambientes novos ou de interação com pessoas desconhecidas. Diferencia-se da timidez ou do desconforto em situações inéditas por ser um medo bastante desproporcional de ser julgado pelos demais ou de se tornar o centro das atenções. Há inclusive a preocupação de que os sintomas físicos da fobia social, como sudorese, tremores ou voz trêmula, possam causar constrangimento.

FOBIAS ESPECÍFICAS

O medo contínuo e irracional também pode estar relacionado a um objeto, animal, ação ou situação específico. Lugares fechados (claustrofobia), aranhas (aracnofobia), sair de casa ou estar em lugares públicos e muito cheios (agorafobia), palhaço (coulrofobia) são alguns exemplos de fatores desencadeantes desse tipo de ansiedade. A agorafobia, por exemplo, é o medo de estar em lugares ou em determinadas situações nos quais, na visão da pessoa, seja complicado fugir ou pedir ajuda. É o medo de sofrer um ataque de pânico. Nesse tipo de situação, a pessoa tem a necessidade de conhecer ou enxergar uma rota de fuga ou saída, já que sua condição é ativada em locais bastante movimentados, sejam eles fechados ou abertos.

ANSIEDADE NOTURNA

A ansiedade noturna está relacionada à privação de sono e prejudica a qualidade do descanso. A pessoa permanece em estado de reflexão contínua sobre a rotina ou problemas, impossibilitando seu relaxamento. A ansiedade noturna aumenta os níveis de adrenalina e interfere no sono.

EFEITOS NA SAÚDE

Os transtornos aqui mencionados podem tornar bastante turbulenta a vida de um ansioso crônico. Sua exposição prolongada aos fatores negativos da ansiedade sem receber o tratamento adequado pode afetar a memória e favorecer o desenvolvimento de doenças como hipertensão, diabetes, indigestão, gastrite e dores no corpo, além de outros agravantes como depressão, insônia, dependência química, isolamento social e até tendências suicidas, em casos mais severos.

COMO AJUDAR ALGUÉM QUE SOFRE DE ANSIEDADE?

A primeira coisa a se fazer é incentivar a busca da ajuda de um profissional da saúde especializado, como psicólogos e psiquiatras. Também é importante mostrar-se aberto para ouvir as queixas do ansioso crônico de maneira compreensiva.

No caso de crises de pânico, acompanhe a pessoa de perto e a auxilie a respirar fundo e devagar. Se o episódio persistir ou se prolongar muito, peça ajuda ou a encaminhe a um hospital.

DIAGNÓSTICO E TRATAMENTO

Em primeiro lugar, **o diagnóstico de transtorno de ansiedade ou de quaisquer outras enfermidades psicológicas só pode ser feito por profissionais da saúde especializados**. Com o devido conhecimento técnico e a análise dos sintomas de cada caso, esses profissionais buscam entender as motivações da ansiedade para então buscar alternativas de redução dos sintomas. Mas qual especialista procurar? O diagnóstico em geral é feito pelo psiquiatra, responsável também por receitar medicamentos, caso necessário. Quanto aos psicólogos, estes podem fazer a avaliação diagnóstica da ansiedade e, uma vez identificado o quadro de sintomas, efetuar encaminhamento para o psiquiatra, se for o caso.

Para que o paciente se sinta mais seguro durante as consultas, vale a pena reunir informações relevantes, como uma lista dos sintomas que o acometem e há quanto tempo eles apareceram, além de histórico médico e de eventuais medicamentos usados. Durante o atendimento, os profissionais farão uma série de perguntas a fim de determinar a condição do paciente: se a ansiedade é ocasional, contínua ou mesmo um traço de personalidade; como ela impacta em suas atividades cotidianas; se a pessoa evita situações que a deixam ansiosa; se houve experiências traumáticas; se há histórico familiar de ansiedade; quais são os fatores que aumentam a ansiedade; quais são os sintomas mais frequentes e quando começaram; se já houve um ataque de pânico; se o paciente usa algum medicamento, entre outros questionamentos.

Veja a seguir algumas opções possíveis de tratamento:

PSICOTERAPIA

Tratamento realizado por meio de consultas ou sessões que usam o diálogo e técnicas psicoterápicas como ferramenta, possuindo diversas abordagens para fazê-lo. Assim, o paciente alimenta o profissional com a narrativa de suas experiências e cotidiano a fim de identificar as causas da ansiedade. Do tratamento surgem também possíveis estratégias para contorná-la e formas saudáveis de lidar com o transtorno, caso haja um diagnóstico.

PSICANÁLISE FREUDIANA

É um método da psicanálise baseada no pensamento de Sigmund Freud, que busca o autoconhecimento. É um método com foco no inconsciente, já que o profissional desse campo do conhecimento leva o paciente a decidir sobre o que falar em vez de ele próprio direcionar a conversa. É a busca pela fonte dos problemas.

PSICANÁLISE JUNGUIANA

Iniciada por Carl Gustav Jung, também é chamada de psicologia analítica. Nesse método são utilizados símbolos, imagens oníricas e sonhos para realizar a análise.

TERAPIA COGNITIVO-COMPORTAMENTAL (TCC)

Métodos com base em conhecimento científico comprovado sobre diferentes transtornos. Seu objetivo é identificar padrões de comportamento, pensamentos e crenças que marcam presença na maioria das enfermidades psicológicas. Acreditando que as pessoas são influenciadas pela interpretação que fazem das situações, essa abordagem concentra-se em problemas específicos e na melhor forma de resolvê-los.

MEDICAMENTOS

Os remédios usados no tratamento da ansiedade crônica somente podem ser indicados por médicos, após a análise de cada caso. São três os principais tipos de medicamento empregados para esse diagnóstico. São eles:

- Antidepressivos – Atuam em um neurotransmissor chamado serotonina. São indicados para tratamentos prolongados devido ao seu baixo risco de dependência e também porque o término do tratamento deve ser feito de modo lento e gradual.
- Ansiolíticos – Medicamentos tarja preta usados em casos mais severos da doença, visando o alívio de seus sintomas. Reduzem a hiperatividade cerebral.
- Antipsicóticos – Remédios usados durante períodos críticos. Aliviam sintomas, mas não tratam a causa.

Listamos a seguir alguns dos medicamentos mais comuns para o tratamento do transtorno de ansiedade:

- Alprazolam
- Bromazepam
- Clobazam
- Clonazepam
- Cloridrato de buspirona
- Cloridrato de fluoxetina
- Cloridrato de paroxetina
- Cloridrato de sertralina
- Cloridrato de trazodona
- Cloridrato de venlafaxina
- Cloxazolam
- Hidroxizina
- Lorazepam
- Mirtazapina
- Risperidona

Ressaltamos mais uma vez que somente um médico pode receitar o remédio mais indicado para cada caso. Portanto, nunca tome medicação por conta própria, sem o acompanhamento de um profissional.

COMO CONTROLAR

Uma vez feito o diagnóstico da ansiedade crônica por profissionais da saúde e tendo iniciado o tratamento adequado, há outras atitudes que podem auxiliar no tratamento desse transtorno. São boas práticas que podem amenizar sintomas em alguns casos, evitando a ativação dos chamados "gatilhos".

Apesar da dimensão dos efeitos que o transtorno de ansiedade pode provocar, **é possível** conviver com essa condição e conquistar uma vida mais saudável por meio de **tratamento médico adequado, acompanhamento psicológico profissional contínuo e obtenção de autoconhecimento**, especialmente se aliados às seguintes orientações:

- Siga à risca o tratamento e as orientações médicas – A principal medida para obter sucesso no combate à ansiedade é seguir o tratamento recomendado por profissionais da saúde. Respeite as orientações sobre hábitos e medicamentos, pois assim será possível obter a ajuda necessária para combater a ansiedade. Os remédios são importantes aliados no tratamento da ansiedade, e não inimigos. No entanto, substâncias receitadas por profissionais para o tratamento da ansiedade, como antidepressivos, podem causar efeitos colaterais, como problemas de regulação de peso, baixa libido ou dependência química. Se algum desses fatores preocuparem você, converse com o seu médico ou psicólogo a respeito, explicando as questões que lhe causaram incômodo.

- Pratique atividade física – Essencial para combater problemas relacionados à saúde mental, como é o caso da ansiedade, a atividade física traz inúmeros benefícios, além de provocar prazer: fortalece o sistema imunológico, ajudando na prevenção de doenças; aumenta a produtividade e a disposição para executar as atividades do dia a dia; combate a insônia; produz uma substância chamada endorfina, que causa bem-estar. Procure uma atividade que lhe faça bem. Há muitas opções, como caminhada, natação, ciclismo, artes marciais ou esportes coletivos, por exemplo.
- Medite – Assim como a atividade física, a meditação aumenta o córtex pré-frontal esquerdo do cérebro, a região "responsável" pelo sentimento de felicidade. Exercícios de respiração podem tomar parte da prática da meditação e ajudam a aliviar os sintomas da condição.
- Regule a alimentação por meio de uma dieta balanceada – Mais uma dica de ouro, que traz benefícios de diversas formas. Um organismo bem nutrido pode dificultar a ação da ansiedade. Para tornar o seu corpo mais saudável, procure ingredientes ricos em vitaminas e minerais, evitando alimentos ultraprocessados, refrigerantes e alimentos com muito açúcar.
- Pratique o equilíbrio – O uso excessivo de aparelhos eletrônicos, como televisão, computador, tablets e celulares, principalmente à noite, cansa o corpo e não deixa a mente descansar. O mesmo vale para o trabalho. Não exagere nas horas extras e respeite seus momentos de descanso. Para relaxar, pratique alongamentos, ioga e respiração profunda. Massagens e banhos quentes podem ajudar no relaxamento muscular.

- Controle as horas de trabalho semanais – Uma vez que o estresse favorece o surgimento da ansiedade, procure melhorar sua qualidade de vida cotidiana. Busque uma maneira mais eficiente de trabalhar, evitando gastar mais horas do que o necessário. O ideal é que sejam quarenta por semana em indivíduos jovens. Tente diminuir a carga horária de trabalho acima dos cinquenta anos.
- Elimine de sua vida as drogas recreativas – De nada adianta praticar exercícios e cumprir uma dieta balanceada se houver a presença de drogas no seu dia a dia. Sejam elas legalizadas (cigarro ou bebidas alcoólicas) ou não (maconha, cocaína e demais substâncias de mesma natureza), mantenha distância delas a fim de fortalecer o seu organismo e evitar alterações em seu corpo.
- Invista em chás e infusões – No lugar de drogas recreativas, que tal um bom chá para aliviar a tensão? Os chás são utilizados pelos seres humanos há muitos séculos e proporcionam uma série de benefícios: acalmam, ajudam a relaxar, contribuem para uma boa digestão, colaboram com o sono e difundem o bem-estar. Além disso, chás com cafeína, como o preto e o verde, são bons substitutos para substâncias estimulantes mais agressivas, como café e energéticos.
- Procure ter um sono de qualidade – Vimos que um dos principais efeitos da ansiedade no corpo é a baixa qualidade do sono. Por isso, é importante instituir práticas que favoreçam esse momento tão necessário de descanso. Para aquietar a sua mente, não fique no celular ou no computador logo antes de dormir e vá dormir cedo, para que o corpo esteja apto a descansar.

- Tente evitar pensamentos negativos – Mantenha sua atenção no presente. Procure ser mais organizado e valorizar o seu momento atual. Planeje bem seu dia e procure afastar da mente tudo o que considerar ruim ou improdutivo.
- Fique perto de quem você ama – Família e amigos podem ser ótimos alicerces para ajudar a conviver bem com a ansiedade. Passe tempo com quem faz você sorrir e valorize os momentos com essas pessoas importantes em sua vida.
- Confie mais em si mesmo – Os transtornos provocados pela ansiedade afetam diretamente a confiança e a autoestima. Por isso, adote hábitos que favoreçam o pensamento positivo e melhorem sua confiança. Invista no que você faz de melhor, aprenda coisas novas, execute tarefas diferentes e invista em seu autoconhecimento. Uma vez que sua confiança aumentar, muitos dos sintomas da ansiedade podem diminuir.
- Dedique tempo para se cuidar – Por fim, valorize a sua existência. Todas as práticas citadas anteriormente são boas ferramentas para ajudar você na convivência com a ansiedade. No entanto, uma das dicas mais importantes é cuidar de si. Todos os argumentos aqui mencionados devem ser uma prioridade para quem sofre de ansiedade. Por isso, dê prioridade a si mesmo e trabalhe ativamente para conquistar mais qualidade de vida. Lembre-se: procure ajuda profissional se não souber por onde começar.

ALIMENTOS QUE AJUDAM A REDUZIR A ANSIEDADE

Alguns alimentos possuem substâncias capazes de reduzir determinados sintomas da ansiedade. São exemplos:

- Alimentos que contenham triptofano – Peixes, carne de peru, ovos, nozes, castanhas, leguminosas (feijão azuki, lentilha e soja), semente de abóbora, levedo de cerveja, linhaça, aveia, arroz integral, chocolate amargo e tofu.
- Frutas cítricas – A vitamina C presente nessas frutas diminui a secreção de cortisol, hormônio liberado pelo corpo em resposta ao estresse.
- Chocolate – Rico em flavonoides, nutriente que favorece a produção de serotonina.
- Espinafre – Contém ácido fólico, uma vitamina com ação antidepressiva natural.

APLICATIVOS ÚTEIS

As lojas de aplicativos para dispositivos móveis, como smartphones e tablets, possuem uma variedade de programas que ajudam a gerenciar a ansiedade e aliviar alguns de seus sintomas. Veja a seguir algumas opções disponíveis para os sistemas Android e iOS:

- LOJONG: MEDITAÇÃO E MINDFULNESS (iOS e Android) – Oferece meditações guiadas, vídeos e outros conteúdos especiais.
- QUERIDA ANSIEDADE (iOS e Android) – Traz informações sobre o funcionamento da ansiedade e disponibiliza exercícios de escrita terapêutica, áudios de meditação para iniciantes e vídeos para ajudar a se acalmar.
- CONTROLE E MONITOR: ANSIEDADE, HUMOR E AUTOESTIMA (Android) – Auxilia no controle das crises de ansiedade mediante sugestões de diversas atividades para acalmar a mente e melhorar a autoestima.

FRASES PARA ALIVIAR A ANSIEDADE

"A mais poderosa arma contra o estresse é a nossa habilidade de escolher um pensamento em detrimento de outro." – William James

"A preocupação é como uma cadeira de balanço: ela te dá algo para fazer, mas nunca te leva a lugar algum." – Khalil Gibran

"A preocupação geralmente cria uma grande sombra para algo bastante pequeno." – Provérbio sueco

"Às vezes, a coisa mais produtiva que você pode fazer é relaxar." – Mark Black

"Não antecipe os problemas ou se preocupe com o que pode nunca acontecer." – Benjamin Franklin

"Quando me liberto de quem eu sou, eu me torno aquilo que posso ser." – Lao Tzu

"Se você não consegue voar, então corra. Se não puder correr, então caminhe. Se não conseguir caminhar, então engatinhe. Mas faça o que for preciso para seguir em frente." – Martin Luther King Jr.

"Uma cabeça cheia de ansiedade não tem espaço para sonhos." – Autor desconhecido

"Você não precisa controlar seus pensamentos. Você só tem que parar de deixá-los controlá-lo." – Dan Millman

REFERÊNCIAS BIBLIOGRÁFICAS

AMERICAN Psychiatric Association. *Manual diagnóstico e estatístico de transtornos mentais:* DSM-5. 5. ed. Porto Alegre: Artmed, 2015.

ANSIEDADE: conheça 13 sintomas que merecem sua atenção. *Vittude Blog*, 21 set. 2020. Disponível em: <https://www.vittude.com/blog/ansiedade/>. Acesso em: 05 nov. 2020.

ANSIEDADE: o que é, como controlar uma crise e 25 sintomas. *Minhavida*, 2019. Disponível em: <https://www.minhavida.com.br/saude/temas/ansiedade>. Acesso em: 05 nov. 2020.

ANSIEDADE: o que é, remédios e tratamento. *Blog Zenklub*, 01 mar. 2018. Disponível em: <https://zenklub.com.br/blog/saude-bem-estar/ansiedade/>. Acesso em: 05 nov. 2020.

CARVALHO, P. Tem problemas com ansiedade? Veja 6 dicas para controlar o transtorno. *UOL*, 24 set. 2018. Disponível em: <https://www.uol.com.br/vivabem/noticias/redacao/2018/09/24/tem-problemas-com-ansiedade-veja-6-dicas-para-acabar-com-o-transtorno.htm>. Acesso em: 05 nov. 2020.

COMO TRATAR a ansiedade corretamente? O guia completo. Hospital Santa Mônica, 26 jun. 2018. Disponível em: <https://hospitalsantamonica.com.br/como-tratar-a-ansiedade-corretamente-o-guia-completo/>. Acesso em: 05 nov. 2020.

ORGANIZAÇÃO Mundial da Saúde. *CID-10:* classificação estatística internacional de doenças e problemas relacionados à saúde. v.1. São Paulo: Universidade de São Paulo, 1997.

ORGANIZAÇÃO Mundial da Saúde. *CID-10*: classificação estatística internacional de doenças e problemas relacionados à saúde. v.2. São Paulo: Universidade de São Paulo, 1997.

PRONIN, T. Ansiedade: sintomas físicos e psicológicos vão de taquicardia a insônia. *UOL*, 17. jul. 2018. Disponível em: <https://www.uol.com.br/vivabem/noticias/redacao/2018/07/17/ansiedade-o-que-e-quais-os-tipos-os-sintomas-e-tratamentos-mais-eficazes.htm/>. Acesso em: 05 nov. 2020.